**시즌2** SYMPATHY 1

사박

야악

최이경!

나왔어

ㅡ!

5

나참~

아침에 눈 뜨면 보면서 그렇게 반가워?

당연하죠!

이번 겨울은 벌써 눈이 오네.

휘잉

그러게요. 시간 진짜 빠르다.

52

가는 길에 뭐 좀 사갈까?

나오면서 봤는데 냉장고가 텅 비었더라.

그럼 근처에서 간단하게 사서 들어가요.

음??

…왜 장갑 안 꼈어요?

오늘 엄청 춥다고 했는데.

너 일부러 묻는 거지~!

왜긴.

티 내고 싶으니까 그렇지.

몇 달 전
늦여름.

그러니까…
최이경의 집에서
자고 간 날,
그 이후의 이야기다.

형.
근데요.

음??

아, 아니…
일단 먹어요!

뭔데?
급한 거야?

말해도 돼.

우리
사귀는 거죠?

으응?!
당연하지.

무슨 말을 하려고
이런 질문을…?

8

왜? 배경화면에 D+며칠♥ 이런 것도 해놓지.

했는데… 하트까지 맞추다니

…보통은 고백 하고 사귀잖아요!

하하, 그건 그래.

그렇긴 한데, 뭔가 오래만이라서.

고백하고 연애하는 거.

……!

수습불가

벌써
저녁이라니…

형이랑 있으면
시간이 너무
빨리 가요.

곧 종강 하면
자주 만나지도
못하는데….

그러게.
진짜 아쉬워.

콱 살림
합쳐버릴까.

……

진짜로?

…그야
당연히,

……음.

당황..

13

... 드라이브 갈래?
요즘 저녁에는
시원하더라.

파앗

어, 정말요!?
갈래요!!

아무래도
이런 건

야경이
좋을 것 같기도
하고···.

zoon..

'이런 건'?

커리도 시갈까?

와아--

근처에
이런 곳이
있었다니….

형이랑
같이 다니는 곳은
전부 새롭게
느껴지는 것 같다.

쏴아

……

유치해도…
저는 좋아해요,
이런 거.

그래서 오전에
커플룩 앞에서
서성거린 거야~?

하하!!

…형은 별로
안 좋아하는 것
같아서.

근데,
괜찮아요.

제가
맞춰가면 되죠.

……

이경아.

네?

네가
하고 싶은 거
다 해도 돼.

나한테 꼭
안 맞춰도
괜찮아.

나는
네가 하자는 건
다 좋거든.

…섹스할 땐
내 말 하나도
안 들으면서
새삼스럽기는.

아,
아하하…. ㄱ, 그건…

...진짜, 다 해도 돼요? 전부 다?

파아..

응. 즉답

...야! 네가 자꾸 물어보니까 나도 괜히 불안해지잖아!

퍽 쑤

악!

...알겠어요. 그럴게요.

두신

그럼 우리 사귈까?

19

방금 전에
뽀뽀까지 했는데
차는 거면

나 이제
네 얼굴 절대로
안 볼 거ー

다….

좋아요.

좋아요….
너무 좋아요.

사귈래요.
사겨요, 우리.

응.
사귀자!

이걸
배경화면에…

어렵네~

배경에 디데이 만드는 거 배우는 중

스케치
SKETCH

사실 나에게는

형에게 말할
타이밍을 놓치는 바람에

본의 아니게
숨기고 있는 사실이
하나 있다.

분명 여기에
꽂아뒀었는데
어디로 간 거야…

미치겠네.

그 자식 분명
찾으러 올 텐데…

목 엄청
얇고 길다…

그건 바로…

하아, 도대체 어디…

…!!?

흠칫

삐약

읏…?!

엇.

많이 놀랐어요?

놀란 거 너도 봤잖아~!

왜 이렇게 기척이 없어? 어우 심장아…

벌컹 벌컹.

많이 바빠요? 심심한데.

덜컹

알바 쉬는 날 내 작업실 오겠다고 한 게 누구시더라?

……．

형은 일하는 날인 거
알고 있었지만…

얼굴 보러
온 건데

뒷모습만
보여주니까
그렇지.

근데, 형.

형 목이
진짜 가늘고,
긴 거 알아요?

…???

!

……．

가, 갑자기
무슨 뜬금없는
소리야….

반응했다

목이 진짜
예뻐요.

제가 본 목 중에
제일 가느다란 것
같은데….

'본 목 중에'는
뭐야.
이상해….

누, 누르지 마.
좁아!

너무 가까이
와서 몸을
돌릴 수가…

…좁다니까.

좋은 냄새….

……
엄마야…

얼굴이
안 보이니까
무서워…

자, 잠깐.

잠깐만…

…….

…….

뭐야…
키스 각
아니었나?

아!
맞다, 형!

혹시
오늘 저녁에
시간 있어요?

그걸 왜
벽치기 하고
물어보는 거야…

어…?

시간이
없어도 빼야지…
근데 왜?

머엇‥

아, 이거 말해도 괜찮을지 모르겠는데.

그게 사실….

오늘따라 밀당 장난 아니네!!

형한테 해야 할 말이 있어서요.

…해야 할 말?

시끌

시끌

……?

……

최이경…

빨리
이 삼자대면을
설명해줬으면
하는데…?

아! 맞다.

아 맞다??

전에 한 번
만났었죠?

이쪽은
고등학교 친구
안린이에요.

입시 미술 학원
같이 다녔어요.

안녕하세요…

33

아함하⋯

이경이랑은 촬영 일 하다가 만났는데

지금은⋯ 네. 애인이에요.

짜앙

그냥 편하게 반말해주세요.

저도 그냥 오빠라고 불러도 돼요?

빠르고 좋네! 그래!

스르륵.

형. 그리고 오늘 하려던 말이 뭐냐면요⋯

스윽

음? 뭔데?

안주 세트 2개인가봉~

※음료처럼 일단 한 병만 주세요

형이 보던
그 웹툰

작가가
안린이에요.

?

뭐??
진짜…?!

시끌

시끌~

나 그 웹툰
진짜 재밌게
봤다니까?

아무튼,
살짝 민망하긴 해도
엄청 신기하다!

제가 훨씬
민망하니까
그만 말해요…!

부들부들

벌떡

응?
어디 가??

쿡쿡...

재가 술은
약해도 저러다
금방 깨요.

그…렇구나.

얼른
갔다올게…

바람도
좀 쐬다 와.

눈 뜨고 걸어!!

워 워~

조심히 갔다와~

……

……

......음.

더 마실 거지?
잔 채울게~.

최이경
안 궁금해요?

…뭐야 너?

나 지금 팔에
소름 돋았어…

보통
딱 이런 타이밍에
물어보지 않아요?

에이.
완전 읽혔네.

근데…, 오빠가
보는 거랑 별 차이
없을걸요?

워낙
투명하니까

내 앞에서는
좀 고장 나 있는
느낌이라서.

그건 그냥
재가 오빠를 너무
좋아해서 그런 거
아니에요?

근데 알고 보니 공부도 잘하고, 농구부 활동도 열심히 하고,

농구부??

그 와중에 입시 학원도 성실하게 다녔어요.

아, 그리고 이건 저도 나중에 들은 건데.

초등학교 다닐 때부터 학원을 엄청 다녀서

친구들이랑 놀러 다녀본 적이 거의 없다고 하더라고요?

…아, 그래.

오빠가 궁금해하니까 한마디 보태자면,

책임질 거야…

아, 맞다.
그리고.

음…,
이건 좀 유치한
질문이긴 한데.

그 순간 안린은 생각했다.

이거 지금
최이경 연애사
묻는 거 맞지?

분명
대충 둘러대도
금방 눈치챌 텐데…

인기?
당연히 많았지….
근데 이걸 그대로
말해도 되나?

나 지금 어떻게
해야 되는 거냐,
최이경…!

필요 이상으로 심각하게 생각 중

아니~ 애는
왜 이렇게
안 오는 거야?

!!

왜

너 은근슬쩍
말 돌리지 말고~!

…걔가
나한테는

연애 경험이
별로 없었다고
했거든.

응?
의외로 조급해
보이시네…

걔가 오빠한테
거짓말을
하겠어요?

음, 그건
그렇지만…

굳이
제삼자의 시점으로
듣고 싶달까…

그게 뭐야
무서워…

사귀던 애한텐
당연히
잘 대해줬죠.

평소에
엄청 다정했다고
그러던데요.

...최이경이 다정하긴 하지.

근데 이상하게 꼭~ 먼저 차이더라고요?!

그 호구가 그렇죠 뭐! 아하하~.

(집에 갈래...)

너 지금 술 다 흘리고 있어. 그래서 왜 차였는데?

에이씨, 모르겠다!!

...손잡기랑 포옹 이후로

절대 진도를 나가주질 않는다고...

47

너 근데 오늘 너무 많이 마시는 거 아니야?

홍조가 그대론데?

....

괜찮아!

오늘은 애인이 데려다 주거든. 흐흐….

미쳤나 봐….

지금 속을 긁는 게 알코올인지 최이경인지 생각 중인 이주빈이었다.

....

와~ 간만에 재밌게 놀았다~! 좋은 기회 만들어줘서 너어무 고마워~!

하아!!

…형.

그런데 말이야 나 안린 좀 자주 만나야겠더라~!

중요한 사실을 많이 알게 됐거든

왜!!

…나도 오늘 재밌었어.

근데,

바짝..

꼬옥

?!

야, 잠깐. 여기 밖이야.

어억,

하아, 아악

쿵

떨컹

으악

때리릭—

아—!

...형,

형···!

혼자 백날
참으면 뭐 해.

형이
이렇게 나오면

참을 수가
없어지는데···

읍···!

...?
형.

······

-!?!

혁,
잠깐만요!

드, 들어가서
샤워라도
하고 올게요!!

갈아입을 옷
안 가져왔는데?

빠안…

…….

…흐음.

일단 알겠어.

?

취한
사람 맞아?
대단하네….

불끈…

어떻게
이렇게 금방
다시 서지?

ㅋㅋㅋ

뿌잉야

???

이게
술이랑 상관이
있는 거예요?

그러니까
바로 이런 점이
대단하다고….

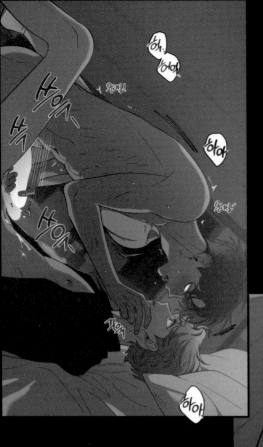

형을 이렇게

직접…
만져야

흥분이, 웃…,
되는데….

아-
진짜!!!

너 일부러
그런 말만
하는 거지?!

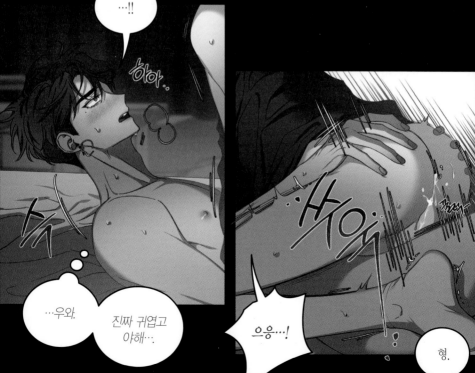

최이경 티셔츠 ▶

……:

이거 은근히
기분 묘하네…

……

아, 이거.

최이경 냄새다….

으윽, 나 뭐 하는 거야….

무슨 생각해?

……

ㅡ!

나는 사실,

너랑
사귀기 전에

너 생각하면서
뒤로 자위한 적
있어…

······
······
······?

…네??!!

갑자기
엄청 졸리네.
나 먼저 잔다.

자,
잠깐만요!

형! 잠깐!!

잘자,
이경아~.

형 꿈 꾸는 거
잊지 말고.

뭐? 이주빈
포토그래퍼?!

어어…

네가 추천해준
스튜디오 작가님의
선배님이셨어.

야… 최이경
너 완전 잭팟
터진 거야!

소개시켜준 곳도
유명하긴 하지만,
그 작가님은
패션 모델 업계에서도
최고 라인이잖아.

네가 나 잡아끌고
모델 일 추천해준
덕분이지, 뭐.

뭔 소리…
내가 널 모르냐?

네가 가서
또 열심히 한 거겠지.
사진 궁금한데 있으면
좀 보내 봐.

뭐, 아무튼.
와…. 진짜 잘 됐다.
연결되기
힘든 분인데.

그 작가님은 따로
스튜디오도 없어.
무조건 단독.
재능 독식.

작년에 갑자기
작업 쉬었을 때도
난리 났었대.
플랜 엎어진 회사가
수두룩이다.

그래…?
유명했구나….

하하…

그렇게 쉽게
웃고 넘어갈 일이
아니야, 인마….

너
우리 과였으면
파티 열렸어.

그래서, 어때?
일은 시작했어?

아직 시작 안 했어.

그런데 졸업 작품 준비 기간이랑 겹칠 것 같아서 좀 걱정이야.

개강하고 학과장님한테 잘 말씀드려 봐. 너라면 이해해주실듯.

응. 말씀 드려볼게.

여튼 축하하고… 졸작 끝나고 한번 보자.

근데 너 아까부터 목소리가 왜 이렇게 작냐?

??

어? 내가?

……

그냥, 아침이잖아.

후우….

앞으로
더 바빠지겠네.

좋게 생각하자.
즐겁게 하고 있는
일이니까.

그리고

형이랑
같이하는
일이잖아.

이번엔
모델이 아니라
어시스트지만

앞으로는
일하는 형도
볼 수 있어…

흠.. 흠..

즈큼.

야, 깨겠다.

진짜 유명하구나, 형.

다른 사람이 하는 형 이야기는 너무 낯설어.

어쩌면 내가 내 친구들보다 형을 모르는 걸지도 모르겠네…

…내가 모르는 형의 모습이 생각보다 훨씬 더 많은 것 같다.

더 알아가야 해. 지금으로는 너무 부족해…

으음….

깜짝

헉…
지금 몇 시야?

아, 깼어요?

이제 8시예요,
오늘 바빠요?

4시에 작업실에서
상하 지인이랑
미팅이 있긴 한데…

아~
오늘 진짜
나가기 싫다.

으으… 나 다시
백수로 돌아가야
하나 봐.

―!

너랑 하루 종일
같이 있고 싶은데
아쉽네.

그래도 점심은
같이 먹자.
어때?

싱긋

......

응,
좋아요.

스케치
SKETCH

…… …내가 또 불안하게 했나?

아뇨!

아니에요. 그냥….

제가 형을 많이 좋아하나 봐요.

…하아, 신경 쓰여.

왜 그런 표정을 하고 있던 거지? 분명 평소와 달랐는데.

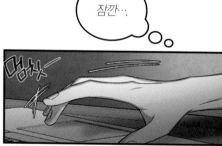

잠깐…

나 최이경에 대해 아는 게 너무 없는 거 아니야?

기본적인 것도 잘 모르니까 물어볼 수 있는 것도 없는 거 아냐…

미술 전공. 자취생. 나이 25. 그거 말고는?

가족 관계? 취미? 좋아하는 음식? 이런 단순할 것도 모른다고…?

……

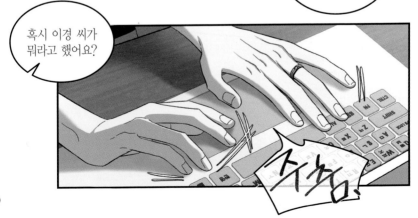

······.

정답!

무슨 말씀을 하시는 거예요, 상하 씨?

업무 외 이야기는 미팅 끝나고 해주세요.

네엡.

미팅 끝나고 얘기해준다는 뜻이구먼···.

아 뭐예요! 별일도 아니었네!!!

난 또, 그렇게 죽고 못살더니 싸우기라도 한 줄 알았죠!

ㅋ캉··

아니, 근데 일단 들어봐···

내가 최이경에 대해 아는 게 너무 없다니까···

무슨 말인지는 알겠는데요,

그게 그렇게까지 불안할 일은 아니잖아요. 진작 아실 만한 분이 왜 그러실까?

최이경만 만나면 이제까지 한 연애는 다 뭐였나 싶어···

그것도 연애가 맞고. 이것도 연애 맞죠.

근데 이제 이경 씨는 놓치면 99퍼센트 선배가 손해지.

어··· 맞아···

난 이제 최이경 없으면 진짜 죽어….

사아아

진정해요. 선배는 진짜 일 칠 것 같으니까.

불안해하지 말고, 잘할 생각만 해요.

캥기는 거 있으면 얼른 처리하고. 이경 씨 자주 만나고.

정 안달 나면 취중진담이라도 해봐요.

……

너도 이제 내 연애 상담 하기 진저리 나겠다.

끄억

눈치 빠르고 오지랖 넓은 죄죠. 나중에 밥 한번 사주시던가요.

저 슬슬 일어날게요!

아 참.
이경 씨 알바
곧 끝나요.

시간이 벌써
그렇게 됐나?
회식할 거야?

그날 저녁에
작업실 봐주기로 한
후배 있어서 당일은
힘들고…
급한 거
아니니까 천천히
정해볼게요.

그래.
조심히 들어가.

덜컹

⋯⋯

…왠지
뭔가 익숙하다
했더니.

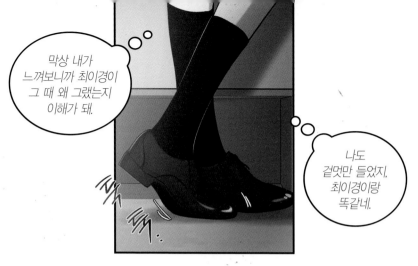

막상 내가 느껴보니까 최이경이 그 때 왜 그랬는지 이해가 돼.

나도 겉멋만 들었지. 최이경이랑 똑같네.

정 안달 나면 취중진담이라도 해봐요.

취중진담… 취중진담….

오… 괜찮은데?

개강 전에 알바 끝난다며? 상하는 그 날 저녁에 일 있대

알바 끝나고 저녁에 형 집에서 와인 마실래?

이경

네!

너무 좋아

흠. 좋아!

그동안 진짜
수고 많았어요!

너무 고마워요…
이경 씨가 사람 하나
살린 거예요….

여기 명함~

감사합니다…!
사장님도 수고
많으셨어요.

둘 다
수고 많았어~.

근데 네가 왜
사장님이야?

개인
포트폴리오
촬영이면서.

그냥
멋있잖아요~.

제가 언제 또
사장님이라고
불러보겠어요.

106

107

깜짝!

갑자기
그 말이
왜 나와…!

앗. 잠깐.
나 전화 좀
받을게.

끄덕

네~!
갔다오세요.

복수성공

머뭇

……

…저,
사장님.

247

응?
에이, 됐어요.

일도
다 끝났는데 그냥
편하게 불러요.

휘이~
아하하.

아 그럼

사, 상하 누나도
말 편하게
해주세요.

그래~.

휘아아.

…?

후광…?

108

역시 사장님보단 누나가 나은 것 같기도….

아 참. 너 이제 선배 촬영 현장 다닌다며?

네! 장비 어시스트래요.

그래? 신기하네. 선배 어시스트 절대 안 쓰는데.

……!

누나. 혹시 누나는 주빈이 형이 롤 모델이에요?

음? 롤 모델?

그렇게 말하니까 좀 민망하긴 한데.

맞아.

선배 멋있잖아.

개인 홈페이지
리뉴얼하고
복귀하자마자 연락
쏟아지는 거 봐.

벌써 업계에서
저렇게나 유명해졌는데
계속 노력하는 거
배우고 싶어.

너도
봐서 알지?

같이 있으면
닮고 싶어지고,
영향받고 싶어져.

소속감도
느끼고
싶어지고.

그래서 나는 지금이 너무 재밌어. 선배가 내 작업 가까이에서 봐주니까.

너도 이제 느낄 수 있을 거야!

운이 좋았지~

현장에서 선배랑 작업해본 회사나 모델들이

선배한테 푹 빠지는 이유가 다 있다니까.

......

꾸악

휴다닥

미안!! 가자 이제!

점점 더 바빠지시네요. 미리 봐달라고 하길 잘했다.

~^^

에이~ 대표님 일은 무조건 도와드려야죠!

으하핫!! 어, 그래!

나 이주빈 씨밖에 없는 거 알지?

가족은…
부모님이랑

응.

여동생 한 명
있어요.

땡~

여,

여동새앵?!
너 동생
있었어?!

당연히 외동인 줄
알았는데…!
사진 보여줘!!

?!

형은….

연애 몇 번
해봤어요?

피하고
싶은 질문
1위였는데….

어어, 음….

…글쎄,

자, 잠깐…!!
잠깐만요!

아냐….
그냥 말하지
마세요.

들어도
별로 후련하지도
않을 것 같고….

질투나서
콱 죽을지도
모르니까….

…맨날
술 먹이고 싶다.

귀여워

호으음,
무슨 질문 하지.

막상 하려니까
생각이 안 나네.

…혀엉.

형 절대로
한눈팔면
안 돼요….

켁…. 갑자기
무슨 소리야?

저보다 훨씬
잘생긴 사람이
나타나도

절대
안 돼요….

…?

가진 놈들이 더한다더니⋯. 너도 진짜 별 걱정을 다 한다⋯.

그거 평생 같이 살잔 소리로 알아 들을게.

⋯⋯!

같이 살자고 하면,

같이 살 거예요?

⋯⋯.

⋯⋯너, 저번에도 비슷한 말 하지 않았나?

착각인가⋯?

힘이 왜 이렇게 세? 무슨 사람을 짐짝처럼 번쩍 번쩍…

내려줘.

같이 살아주면.

꼬아악.

…….

동거가 말처럼 쉬운 건 아니잖아…

…형은 늘 다 어렵다고 말해.

…알아요. 저도 그냥,

뜬구름 잡아본 거예요.

동거라니…;
진심으로
말하는 건지

술김에
조르는 건지…

…그래도
동거하면,

같이 있는
시간도 훨씬
많아지고

출퇴근도 같이
할 수 있고

형이
좋아하는 것도

밤마다
다 할 수
있을텐데…

잠깐 잠깐!!
막상 조르는 쪽은
대부분 너잖아~!

……

눈 풀린 거
보니까 취한 건
맞는데…

진심이라면
나중에 또 말하겠지.
대충 달래놓자.

아무튼.
조금 못미더울 수
있겠지만….
한눈 안 팔게.

내가 이제
너 말고 누굴
보겠어.

앞으로는
그럴 시간도 없고,
생각도 없어~
그러니까 안심해.

그나저나
너 오늘은 반말
안 하네?

취하면
반말하는 줄
알았는,

……

피실…

…네.

저도요…

꼬옥~

쿵 쿵쿵

쿵

진심으로
깜짝 놀랐다…

아무튼…
걱정 마, 응?

동거… 뭐,
그것도 생각은
해볼 테니까.

숨 막혀…

꽈아악

125

…너.
여기서
하려는 건
아니지?

네.
안 할 거예요.

……?

무슨
생각인 거야?

…앗!

야, 흑…

무, 문지르지 마…!

문지르기만 할게요….

여기선 안 된다고 그랬으니까.

그, 그건 그렇지만 이건 너무

의도가, 다분하잖아…

하고 싶은 거 다 해도 된다고 말한 건 형이면서

훗…

이것도 안 되고 저것도 안 되고….

기다리는 게 힘든 것보다는

나도 가끔은,

형이
안달 내는 걸
보고 싶어.

……

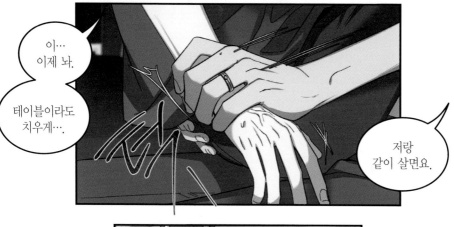

이…
이제 놔.

테이블이라도
치우게….

저랑
같이 살면요.

생각
해보겠다니까!

……

!! ...웃.

와락

와락

하아...
살 냄새
좋아...

간질

이, 이경아...
나 진짜 나올 것
같아...

제발 잠깐만
놔 봐, 어...?

끄덕

끄덕!

꿀꺽

꿀꺽

오늘은 진짜
바지 더럽히기
싫어...!

그… 그만,
그만해!!!

못
참겠다니까…!!!

진짜
안 들리는 거야,
안 들리는 척
하는 거야?!

바지가 얇아서
너무 잘 느껴져…
으, 안 돼…

난, 험핑에
약하다고…!!

차라리 뒤로
밀어버리고 세게
박아줬으면…

애매하게
갈 듯 말 듯
하니까 미치겠어.
힘들어…!

……?

형.
젖었네요.

네, 네가 자꾸 이상하게 문지르니까 그렇지!!!

나 지금 엄~청 참고 있거든?!

…형 지금 하고 싶죠?

…!

그럼…
안 된다, 곤란하다
이런 말 말고

해줘,
하고 싶어,
라고 말해주면
안 돼요?

하고 싶은 건
다 해도 된다고
한 건
형이면서….

저는 형이
하고 싶다고
말하는 거
듣고 싶어요.

…이, 일단
이거 놓고,

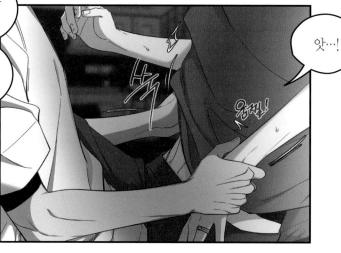

지금. 지금 말해줘요.

저는 지금 듣고 싶어요…

앗…!

아….

이게 뭐라고 이렇게 죽을 만큼 민망한 거지?

이것보다 더 창피한 말도 잘만 했었는데!!

나도 최이경도, 어쩐지 평소랑 반대가 된 것 같아서…

으, 모르겠어.
지금 당장
하고 싶어…!!

……하,

하고 싶어…

그만 놀리고

빨리
넣어 줘…

어차피
내가 하지
말라고 해도

결국은
얻어낼 거면서
조르기는….

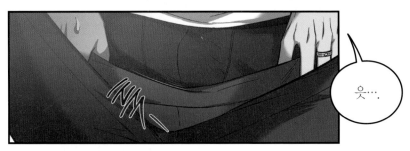

……?

어딜 뚫어져라 보는 거야…?

형… 입구가 너무 좁아요.

아무래도 안 들어갈 것 같아요….

이, 입구… 뭐…?!

너 아직 술 안 깼어?!!

왔다갔다 하는 중

뒤에… 제대로 못 풀어줄 수도 있어요.

아니, 지금 그게 문제가 아니라….

어어, 자, 잠깐 기다려!!

145

아, 안 돼!
소파에 흘리면,
으….

잘 닦이지도
않는데….

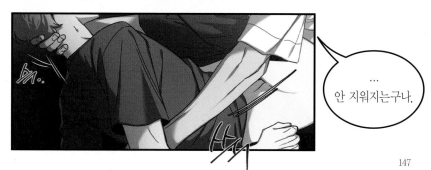

…
안 지워지는구나.

후우…

시작도 안 했는데 벌써 힘들면 어쩌자는 거냐…

-?!

…그건, 어떻게
알았어요?

뭐…?

뭐를?

여기서

해본 거예요?

…여기서

…해봤냐니,
무슨….

조금 전

안 돼…!
소파에 흘리면,

잘 닦이지도
않는데….

…!

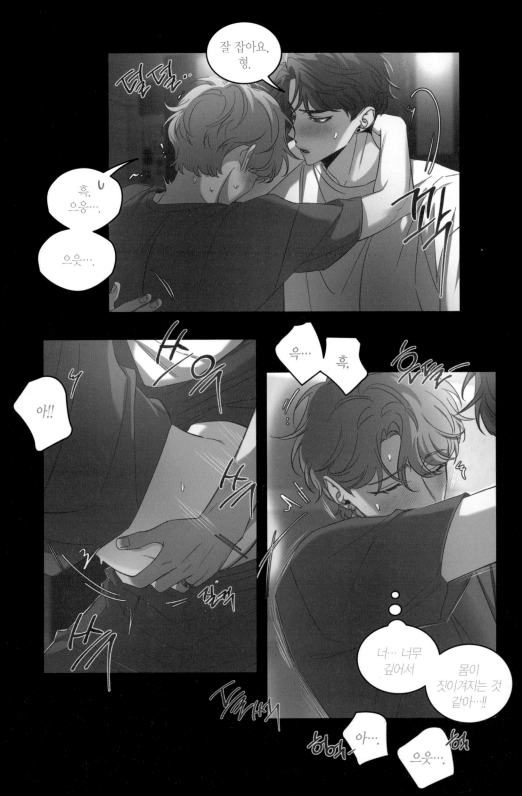

이 자세는
또 뭐야,
쪽팔려…!

우왓!!

아…
정말.

진정이
안 되네.

아. 좀…
천천히…

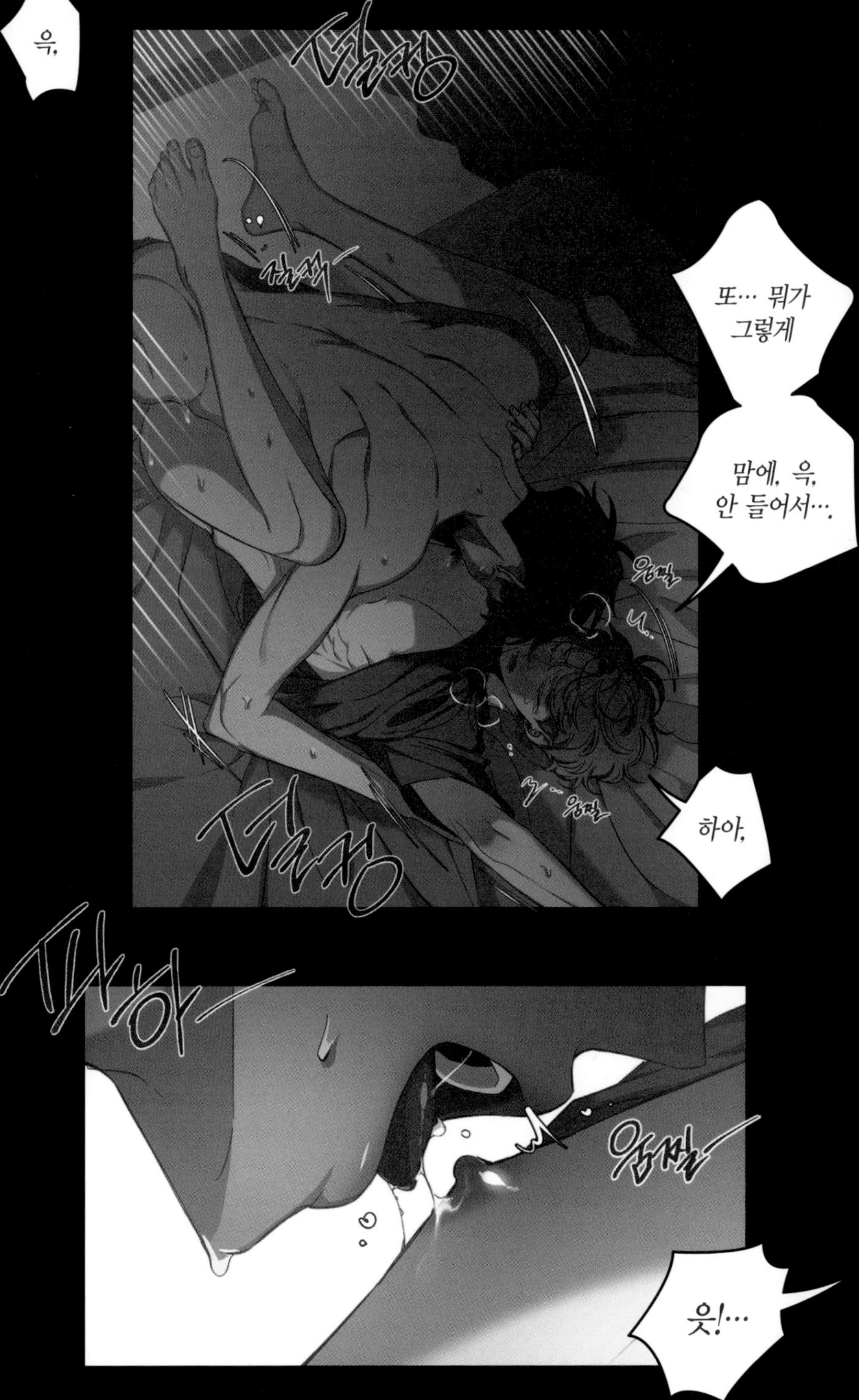
읏,
덜컹
또… 뭐가
그렇게
맘에, 윽,
안 들어서….
움찔
움찔
하아,
덜컹
파하—
움찔—
읏!…

흐아윽⋯.

⋯형 오늘따라 엄청 흥분하네요.

하아⋯, 숨 넘어가겠어요.

아⋯!!

아⋯앗, 좋⋯ 좋아⋯.

계속, 나올 것
같았어서…

더 이상…
참을 수가……

…괜찮아요.

대체 뭐가!!!

…!!

헉, 너, 그거,
진짜 안 돼…!

지금 하면
안 드, 아…!!

…아파요?

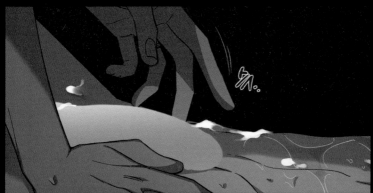

스케치
SKETCH

진짜
한눈 같은 거
안 팔 거거든.

그래도
동거는

여유를
가지고 생각해
볼 수 있게 해줘,
응?

…아,
미치겠다.

빨리 자.
눈에 졸음이
덕지덕지 묻었어.

머리가 너무 아파요….

그냥 더 누워 있지 그랬어.

그리고, 아침부터 소유욕 구경 잘 했다.

?

네? 무슨…?

아주 아침부터 나 붙잡고 내 거다 뭐다~.

네가 계속 껴안아오는 바람에 화장실 참다가 터질 뻔했잖아….

누르지 마… 누르지 마…

175

자는 놈이 힘은 왜 그렇게 센거야?!

……

달그락

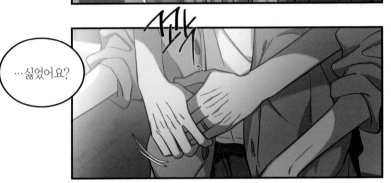

…싫었어요?

빠~

어, 빨개졌다.

…그런 말은 안 했는데?

그보다 너 지금 술 냄새 엄청 나. 빨리 이거 마셔.

아니면 다른 먹고 싶은 거라도 있어?

아뇨. 그냥... 잠깐만 이러고 있을래요.

많이 어지러워?

누워 있어도 돼. 가져다 줄게.

......아.

진짜

같이 살고 싶다.

너무 좋아.

멈칫

만지작

......?

완전
신혼 같잖아…

뭐야…?
술 덜 깼어?

잠깐만요….

아니….

……

...으응!

위험하게
왜 이래?!

좀
떨어져 있어.

몸 따뜻해.

합,

웃....

180

그, 그만…!

움찔

최…

최이경…!!

깜짝

…!

흑

헉

흠

…아,

움찔

헉…

헉…,

헉…!

…미쳤나 봐.

아침부터
형한테
무슨 짓을…

183

이래놓고 뭐?
동거??

…하아.

지금도 이러면서
같이 살면 어떻게
참을 건데?

하….

정 떨어졌으면
어떡하지…

…우와.

잡아먹히는 줄
알았네…

난 네가
그림 그리는
사람이었다는 걸
가끔 까먹어.

그건
저도요.

마지막으로
그림을 그린 게
언제였는지 기억이
잘 안 나요…

빠스스슥

넌 괜찮아?
중요한 시기에
진로가 바뀐 건데.

촤르르륵

…솔직히
아쉽지 않은 건
아니지만…

음…….

대웃…

마…, 맞아요. 좋아요….

???

어어…, 그거, 이번 작업 래퍼런스예요?

응! 급하게 정리했어.

그러고 보니까…

형은 외주가 아닌 작업이 더 좋다고 했었죠?

어…. 기억하네.

재능은 있는데 남이 시키는 일만 하면 꼭 주체를 찾고 싶어지지 않아?

그런거지 뭐. 정말 하고 싶은 작업이 뭔지 생각하는 거….

193

형은,

저랑 같이 살기 싫어요…?

뭐…? 얼굴 때문에 못 들었어….

네??

좀 철 없게 들릴 지는 몰라도, 같이 살고 싶다는 건 늘 진심이에요.

형이 제 자취방에서 잘 때도, 제가 형 집에서 잘 때도

너무 좋았어요…. 아침에 눈 뜨자마자 만날 수 있다는 것도 좋고….

……아.

미, 미안해요….

저도 모르게,

—?!

불안하게 하려면

196

저는…
아무것도 모르고
지나가는 게
더 싫어요.

꾸…

ㅎH

……!

형!
제 말은,

짐이 좀
많아.

…네?

집에 들어가도
먹고 자는 것 말고는
아무것도 안 해서,

침실 말고 다른 방은
전부 짐 창고야.
그거 다 정리하려면
백년은 더 걸려.

…?!

그래도,

너무 넓은 집은
외로워서 싫어.

…뭐야, 너.

너무 일일이
감동받지 마.
튕긴 거
민망하게…

싫어요.

감동
받을래요.

자~.

그래서.

맨날 안 한다는
자신은 아직도
없는 거야~?

그만
놀려요…!

연제작
여긴데ㄲㄲ

스케치
SKETCH

......

…너무
뚫어져라 보는 거
아니에요?

진작
같이 살 걸
생각 중이었다,
왜.

205

207

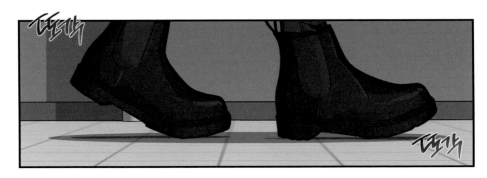

저벅

저벅

......

이주빈입니다.

복귀했더라?

어떻게
형한테 한 마디도
안 해주냐,
주빈아.

!? 아!!!

진짜 열 받아!!!

으아악!!

형? 왜 그래요?

무슨 일 있었어요??

후우….

……?

안아줘.

지금 당장.

!!!!

혹시
요즘 계속 오는
그 전화예요?

꾸옥..

응…. 진짜
화나네.

나더러 뭘
어쩌란 건지
모르겠다….

중얼

……

이럴 땐
무슨 말을 해줘야
좋은 거지.

무슨 일인 지를
모르니까
'괜찮을 거예요'도
아니고.

'무슨 일인데요?'는
괜히 들 쑤시는
것 같고,

아, 맞다.
이경아.

네?

30분 뒤에
출근인 와중에 좀
뜬금없지만….

…형.

이거…

설마…….

마…
맞아.

COUPLE

LOOK

커플 티
입고 싶다며.

아예 똑같은
옷보다 시밀러 룩이
낫지 않나 싶어서.

어디서 어떻게
사는 건지 몰라서
좀 늦었어….

(?)

어… 어때?

맘에
들어..?

……너무,

무서워···

......

......

그냥
나한테 물어봐.
그러다 사고
나겠어.

…!!

생각이
영 다른 곳으로
가 있는데?

다 들켰네요…
누구였어요?

내가 작년까지
일했던 곳 대표.

그러니까,
내 친구 죽고 바로
관둔 곳인데

별로 안 좋게
그만뒀어.

엮이기 싫은
사람들이 많았거든.
아까 열받은 것도 거기
대표 때문이었고.

아무튼
그 뒤로는 무조건
나 혼자 일해. 아무도
못 믿겠어서.

이것도 말을 해야 하나.

아냐. 이건 나중에 더 진지하게…

아아…, 그래서 상하 누나가 전에 그런 말을 했구나.

응?? 상하가 무슨 말을 했는데?

형은 일 할 때 어시스트 안 쓴다고 했었거든요.

아. 형 작업 좋아하는 제 친구도 비슷한 말 했었어요.

아… 그래?

그새 그게 소문까지 난 거야?

내가 뭐 유명인도 아니고.

최이경..!!

하아아…….

이건 전적으로 제 잘못입니다….

최이경을 알면서 이런 소리를 운전 중에 하다니….

…퇴근하고 돌아와서 다시 들을 거예요.

빼기 없기예요….

뭐야.
네 전화도
안 받아?

형 같으면
받겠어요?

아니,
나 안 그래도
궁금했어.

너네 이번엔 좀
오래 안 붙지 않냐?
한번 깨져도
최대 몇 주였는데.

지금 봐 봐.

벌써 1년이 넘어 가고 있,

형.

저 이제 이주빈 작가님 진짜 안 만나요.

왜 중간에서 자기가 더 난리지.

너네가 그런 식으로 한 두번 헤어지냐?

...역시 못 알아먹네.

......

......

야… 아니,

진짜
헤어졌다고?
진짜로?

……

……

아…,
이씨.

좆됐는데,
이거…

몇십분전

……

갑자기
웬 전화야?

어떻게 형한테 한 마디도 안 해주냐, 주빈아.

홈페이지 리뉴얼 한 거 싹 봤어.

미친 놈… 형 같은 소리 하네. 동갑이면서.

아~ 그래?

근데 홈페이지 보니까

모델들이랑 작업 했던 사진들은 전부 미공개 처리 했더라고?

…그래서 지금 하고 싶은 말이 뭔데?

네가 내 안부 궁금해서 전화할 사람이야? 용건 없으면 끊는다.

야!! 잠깐만!!

아니, 너 작년에 도백운이랑 작업하기로 하지 않았냐?

이건 뭐, 우리랑 작업 끝자 마자 소식통도 끊겨서 어떻게 됐는지도 모르겠고.

너네 이어준 게 나잖아?

혹시 지금 하는 일 없으면 내가 물어온 거 하나 있는데

백운이랑 한번 해보는 게 어떤가 싶은데?

......,

나 걔랑 헤어졌는데.

까지 말고.

까긴 뭘 까.

그리고 앞으로도 만날 일 없으니까 나한테 도백운 얘기 꺼내지도 마.

나 지금 애인 있어.

사고 치더니 요즘 급하냐?

바빠. 끊어.

?!

아니, 잠깐. 뭐라고?!

이주빈!!

……

촬영 내내
저 표정이네…

뭐가
잘 안 되나?

춥죠.
한겨울에
고생하네요.

오래 된
건물이라 히터가
늦게 돌아서….

……!!

괜찮습니다…!

작가님이 촬영
해주셔서 오히려
영광이에요….

영광까지….
고마워요.

233

······.

주빈 씨.
진심이야?

···예?

뭐가요?

주빈 씨네
장비 어시스트.

지금 저 인물을
고작 어시스트로
쓰는 거야?

저거 봐...

얼굴이 막...
적당히를 모르고
자기 주장
하는데?

아무리 힘이
좋아 보인다고 해도
이건 정도가 없잖아,
정도가···.

철컥

힘이 워낙
좋아서요.

아~ 진짜.
너무 아까운데.

조명을
받아야 할 사람이
왜 조명을 설치하고
있느냐고.

......

실장님이 보기에는
저 친구, 모델 할 수
있을 것 같아요?

달깍

일단 시켜봐야
알지 않겠어?

나머지는 현장
눈칫밥 먹으면서
배워도 괜찮아.

얼굴이 지나치게 화려하긴 해도, 여기서 장비나 옮길 인물은 전혀 아니라니까?

주빈 씨가 제일 잘 알잖아.

복귀하고 갑자기 어시 쓰는 것도 그렇고, 좀 이상한데.

현장 가르치는 거 관심 없다며. 무슨 꿍꿍이야?

꿍꿍이는 무슨… 그런 거 없어요.

……?

스케치
SKETCH

일 시작한 지 이제 겨우 한 달 지나갔는데,

작업물이 이만큼이나 쌓이다니.

뿌듯...

형 지시대로 조명만 옮겼을 뿐인데 요령도 생긴 것 같고.

달칵

달칵

모델의 각도와 조명이 어떤 그림자를 만드는 지 고려해야 하는 건

미술이랑 비슷하네. 신기하다.

짝

!

......

안녕하세요.

?!

안녕하세요?

M사 피처 에디터
박은미 입니다.
반가워요.

처음 보는
얼굴이라 인사
드렸습니다.

…관심?

포토그래퍼,
관심 있으세요?

…자,

작가님한테요?

???

저…, 그렇게 티가 많이 났나요?…

나름 엄청 조심한 건데….

…?

당황…

어… 그 말이 아니었지만.

뭔가 깨달았다.

네네… 티 많이 나네요!

명함 좀 받아갈 수 있을까요?

주빈 씨 몰래.

merie claire

박은미 Eun Mi Park

피처 에디터

EunmiPK@meriecclairekr.com

010 . 0000 . XXXX

모델 한번 해봤으면 좋겠어요.

어시만 하기에 영 아깝네요.

명함이 없어서 SNS랑 메일 주소만 알려드리긴 했는데.

일이 커지는 느낌이야…

모델 일은 작년에 상하 누나랑 해본 게 전부인 데다,

아악.

형이랑 다녀본 현장은 상하 누나 스튜디오랑 너무 달라서 낯설고…

으으…

모델 한 명만
촬영해도 스태프가
몇 십명 씩 붙잖아.

사람 많은 곳에서
주목받는 거
부담스러운데…

지이잉

11:47

주빈이형😍
휴대전화

지이잉

앗,
형 전화.

여보세요?
형?

…….

지금
어디신가요?

어,
저 분인가?
여기!!

여기요!
이쪽!!

……!

1년 만에 봤더니
반가워서 너무
달려버렸네!

귀한 몸이신데
주는대로
다 퍼마셔서
어쩝니까, 하하!

……!

…아, 하하.
그러니까….

이 작가님
애인분?
맞죠…?

네.

이제
가도 될까요?

어어어… 네네!
들어가십쇼.

내일도
스케줄 있다고 해서
빼냈습니다!

목 말라….

여기 앉아봐요.
신발 벗겨줄게요.

…너
코 되게 빨개.

형은
다 빨개요.

추워…

요즘
왜 이렇게 회식을
자주 나가요?

그나마
덜 나가는
건데…

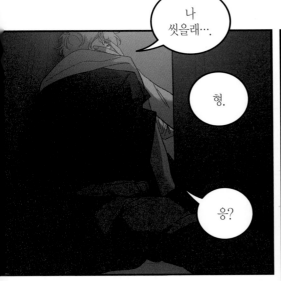

나
씻을래…

형.

응?

오늘은 저랑
같이 씻어요.

250

……

너 나 자빠질까 봐
같이 들어온 거지.

아니에요.
ㅋㅋㅋ

술은 좀
깼어요?

머리 아픈 거
보니까 그런 것
같은데…

진짜 다들 무슨 소리들을 하시는 건지.

최이경은 제 겁니다만.

......!

크윽…

자극하지 마요. 취했으면서…!

오호~?

자극 받았나 보지?

당황..

......

웬만한 걸로는
안 풀릴 것
같네…

끄응..

…그도
그럴 게,

다른 것도 아니고,
섹스하자고
시위하는 거니까…

드문 기회긴 하지만

저는
어디서 자요?

소파…?

뭐래.
섹스하고
침대에서 자.

왜 오늘은
안 된다는 건데….

형 지금 자도
다섯 시간 밖에
못 잔다니까요?

게다가 아직
취했잖아요. 집중
안 할 거면서.

완전 집중할게. 섹스하자.

딱 한 판만. 오케이? 형이 아주 그냥 천국으로 보내줄게.

미치겠네… 그냥 빨리 자요…

아 애!!! (아 왜!!!)

하아…

아까부터 참고 있는 쪽은 저라고요…

아니. 너 그러면,

뭐야,
너도 섰잖아···.

자,
잠깐···!

아···.
엄청 뜨거워.

하고 싶다···.

…?!

왜 자꾸 피해요?
하자고
했으면서….

아, 아니,
나도 모르게….

그냥 반사적으로
한 말이야!!
뭐, 뭔 지 알지…?

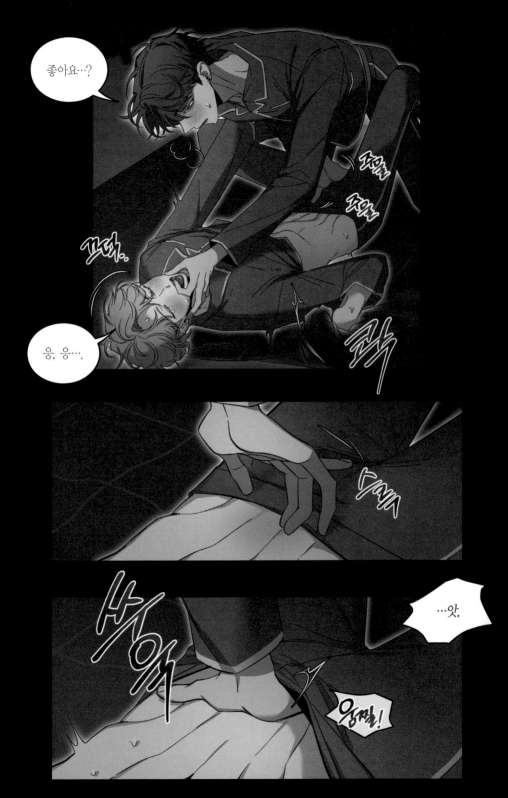

아니,
잠깐…

그런데,
아까부터
궁금했어요.

형 주량은 진짜
온 세상 사람들이
다 알더라고요.

그래도.

형이
얼마나 해야
지치는 지는,

저만
알겠죠?

스케치
SKETCH

......으음.

......?

…어,

형 일어난 줄도 몰랐는데….

너 깰까 봐 조용히 일어났지.

아침도 못 먹고 나가서 어떡해요.

그냥 깨우지. 같이 먹으면 되는데….

누가 보면 네가 나 키우는 줄 알겠다….

간만에 오프 났는데 그냥 더 자.

…형.

응? 왜?

아, 그리고. 너 아까부터 휴대폰 계속 울리더라. 한번 확인해보고 자.

앗, 그래요? 알겠어요.

전 오늘 저녁에 친구들 만나고 들어올 거예요.

전화 할게요.

그래? 오랜만에 만나네.

잘 놀고 와. 밤에 보자~.

오늘 옷 예쁘다…

털컥

빠지직.

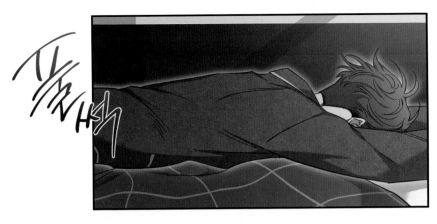

안녕하세요, 최이경 님. M 브랜드 영업부 모델 캐스팅 담당 ○○○ 입니다.

보낸사람  ○○○ (1234master@Mstyleroom.co.kr)

**M Styleroom**

응?

…모델
캐스팅?

우와…

이렇게 모이는 거 진짜 오랜만이다.

그러니까… 몇 달 만이지?

야~ 최이경!

여기서 네 얼굴 보기가 제일 힘들어!

아닐걸?

안린 보는 게 더 힘들걸?

그런가…

하… 오늘 일 얘기 금지다.

최이경 너
모델 알바 할 때
사진 더 없어?

궁금한데.

사, 사진?

여기서는
좀….

엥? 왜??

……

뭐….
일단 지금은.

형이랑
촬영장에서
일하고
있으니까.

삐빅.

……

어어~
그러고 보니….

움찔..

…!

야….

하지 마라,
진짜….

조교인 날 봐서라도
한번만 와주라, 응?

너 안 오면
안 온다잖아~

프롤로그 참고

아무튼
내가 그 오빠랑
헤어진 건 최이경
때문이 아니야.

그건 내가 잘 알아.

근데 사실… 어느 정도 느끼잖아. 내가 이 사람이랑 맞는 사람인지.

이 사람이랑 대충 얼마나 갈지.

와, 맞아. 그거 진짜 있어.

뭐, 뭐?

그런 게 있어?! 그게 뭔데…?!

얘들아… 천연기념물 배려 좀 해라.

ㅋㅋㅋ

ㅋ큭..

여튼… 오래 갈 것 같진 않았어.

그, 뭐야… 묘하게 벽이 있는 느낌?

…아.

그건 나도 알 것 같아.

그치!! 뭔 지 알지?

하지만 첫 만남이 과 쫑파티 때라는 건 진짜 깜짝 놀랐어….

그, 그건 진짜 미안하다….

아 사과하지 말라고~ㅋㅋ

저 둘은 볼수록 기묘하네.

근데 난 최이경이 연애를 한다는 거에 더 놀랐어.

완전 관심 없어 했잖아!

어… 맞아.
그래도 한 번은
CC 될 줄 알았어.

남자 선배들이나
최이경한테
열폭했지.

여자 선배들이랑
너네 과 애들은
친해지고 싶어
했으니까.

그 정도는
아니었어….

야…
내가 과 회식마다
널 왜 불렀겠어?

그런데…
알고 보니

내가 그렇게
만나고 싶어 했던
포토그래퍼의
애인이 될 줄은….

게다가 그렇게
젊으실 줄은….

적어도
40대일 거라
예상했는데…

그쪽에
놀란 거냐고….

나 제발 나중에라도 작가님 한 번만 만나게 해주라, 이경아…

알지? 어?? 모델 일 내가 추천 해준 거…

아… 물어볼게.

오예!!!

진짜 고마워!!! 최이경 최고!!

이제 너네들 얘기도 좀 해봐.

졸업하고 오랜만에 만났는데 얘깃거리 없어?

맞아…! 너네들 얘기 좀 해.

야. 단톡에서 나만 떠들어, 나만.

솔직히 나는 맨날 똑같이 살아서 할 말이 없어….

출장, 집. 학원, 집.

…‥!

떨컹

빠리릭─

후다닥

다녀왔어요…

응. 왔어?

??

…엥?

…인기쟁이.

뭐…?
너 취했어?
?ㅋㅋㅋ

친구들
만날 때마다
형 얘기 하는 것
같아요.

아하하, 그래?
영광이네.

친한 친구들
정기적으로 보는 거
좋은 것 같아.

친구들이
지도 챙겨주는
거죠. 뭐….

아니, 아냐.

네가 좋은 사람이라서 좋은 친구들이 주변에 있는 거야.

진짜 사랑해요…!

꼬오오~

파바박

술 냄새 나는 고백은 인정 안 하는데?

얼른 씻고 옷 갈아입고 와.

아, 맞다.
형 혹시…

여기… 형이
아는 곳이에요?

응?
어디…

# M Styleroom

……어?

패션, 코스메틱 국내 브랜드 M의 영업부 ㅇㅇㅇ입니다.

최대한 빠른 시일 내로 저희 M사의 여름 시즌 화보 촬영 관련으로
담당 포토그래퍼 성구 님과의 미팅 일정을 잡고 인터뷰를 진행하고자

이 사람은….

역시
맞는 것 같네.

나 학생 때
사진 가르쳐주신
대선배야.

졸업도 안 했는데
현장 가고 싶다고
생떼 쓸 때

나 데리고 나가서
이것저것
알려주셨던 분.

아아….

…근데
정말 형은
이 업계라면

모르는 사람이
없네요….

다 비결이
있지.

회식을 빠지지 말고 다 다니는 거야…

쪼으ㄹ..

안 불렀으면 전화해서 뒤늦게라도 끼어들어…

그 일은 원래 그렇게 전쟁 같아요…?

크크  아니, 꼭 그런 건 아닌데….

…….  그러게.

그때는 그만큼 인정받고 싶은 마음이 간절했었는지도 모르지.

…….

그나저나, 이제 막 SNS 계정 만든 모델한테 컨텍을 하시다니.

여전히 특이하시구먼….

저는 지금 뭘 어떻게 해야 할 지 모르겠어요….

번지점프하기 3초 전 같아요.

그거라면 걱정하지 마.

??

형 믿지?

막 이래,
푸하하!!!

와~ 나 이거
꼭 해보고
싶었어!!

크흐흑…

생각보다
더 오글거리네.

…….

어디가
오글거린다는
거예요?…

아니…

나는
이게 통하는 게
신기해.

…으음.

왜요?

아냐. 별건 아니고….

갑자기 청승 맞게 예전 생각나서.

슬슬 미팅 날짜 잡아보자.

나도 간만에 얼굴 좀 비춰볼까~.

…….

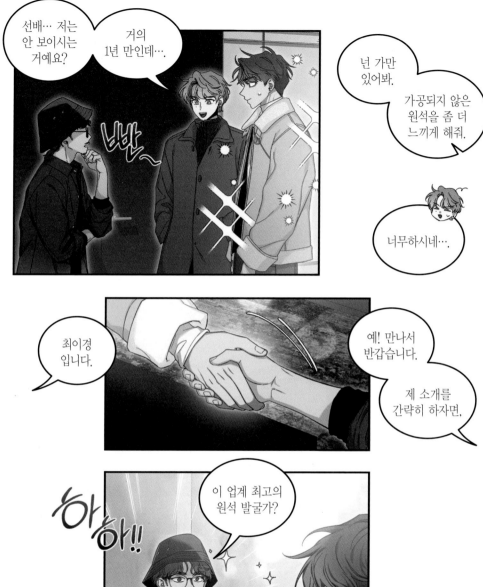

선배… 저는 안 보이시는 거예요?

거의 1년 만인데…

뻔~

넌 가만 있어봐.

가공되지 않은 원석을 좀 더 느끼게 해줘.

너무하시네…

최이경 입니다.

예! 만나서 반갑습니다.

제 소개를 간략히 하자면,

이 업계 최고의 원석 발굴가?

하하!!

진짜 특이하시다…

305

하는 일은 이주빈 작가랑 같아요. 포토그래퍼입니다.

다만 저는 브랜드 룩북이나 패션 화보 위주의 촬영을 맡고 있고요.

이번 미팅은 M사 S/S시즌의 새로운 얼굴을 뽑기 위한 심사 같은 거예요.

여기까지 왔다는 건, 확정이라는 거지만.

저, 그런데… 질문해도 될까요?

네네, 편하게 해주세요.

사실 저는… 모델 일이라면 알바 경험 뿐이고,

스스로 모델이 되고 싶다고 생각해본 적도 없는데,

솔직히…
이런큰 기회를
제 능력 평가를
부탁드릴 수 있는
포트폴리오도 없이

무작정 받아도
괜찮은 건지,
걱정이 돼서요…

……음.

그 말은 곧,

실수하고
민폐 끼칠까 봐
걱정된다는
뜻이겠죠?

또/끔..

……!

제가 굳이
시간도 부족한 마당에
원석 캐기를 하는
이유가 뭘까요?

물론,
최이경 씨가
못 하겠다고 하면 바로
놔드릴 거예요.

이 업계의 좋아 보이는 부분만 늘어놓고 현혹시키고 싶을 만큼

화려하고 멋지기만 한 일은 아니니까요. 오히려 중노동이죠.

그래도 최이경 씨가 "해보고 싶다.", "한 번 해보겠다."

이렇게 본인의 의지를 보여준다면,

저와 이 브랜드가 최이경 씨를 통해 실현시키고 싶은 일들이

최이경 씨 등 뒤에 줄을 설 거라고 생각해요.

……어, 　사실은 나….

벌써 너네 비행기 자리 킵해놨거든…?

엑?!!

원래 하려던 애가 아이돌이었는데, 취소가 돼서 좌석이 그대로야…

주빈ㅇ… 주빈 님!! 나 최이경 씨 진짜 필요하다….

…!!

이, 이경아….

해볼게요.

솔직히 실수 안 할 거라는 자신은 없지만….

이 일, 해보고 싶어요.

움?

엥??

이거 무조건
도백운이 딸 줄
알았는데?
누구야?

202X년 XX월 XX일 화요일

JongONE. 편집장

M브랜드 S/S 메인모델 티오
없어졌음

해외 스케줄이고

이주빈 작가도 간대

!

헐. 설마?

여보세요?

잠깐 통화 좀 하고 올게요.

백운아아아~ 도백우우우운!!

…안 그래도 아침 굶고 잠 못자서 피곤한데

진짜 죽을래요? 작가님 얘기 그만하라고요….

맨날 이주빈 작가랑 비교당하면서 자존심도 없어요?

아, 씨.
심했나?

자존심?

그거까진
지갑에 안 들어가길래
그냥 버렸는데~?

이 새끼기
그럼 그렇지…

아무튼 그거
저 아니에요.
끊어요.

아~ 뭐야…
그럼 누구지?

이주빈이랑 같이
출국한다는 모델.

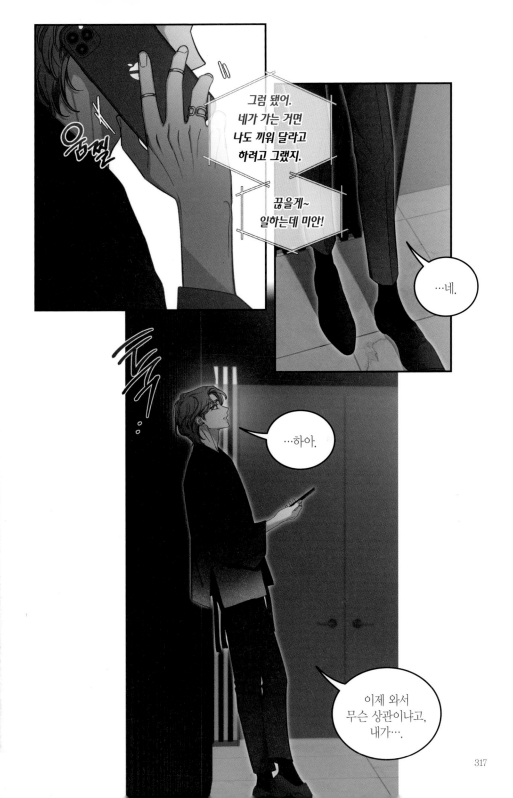

그럼 됐어.
네가 가는 거면
나도 끼워 달라고
하려고 그랬지.

끊을게~
일하는데 미안!

…네.

…하아.

이제 와서
무슨 상관이냐고,
내가….

# 스케치 시즌2 SYMPATHY 1

2024년 3월 15일 1판 1쇄 발행
2024년 3월 26일 1판 1쇄 발행

**글·그림** 도석

**발행인** 황민호
**콘텐츠4사업본부장** 박정훈
**책임편집** 이예린 | **편집기획** 강경양 김사라
**디자인** All design group 중앙아트그라픽스
**마케팅** 조안나 이유진 이나경 | **국제판권** 이주은 한진아 | **제작** 최택순 성시원 진용범
**발행처** 대원씨아이(주) | **주소** 서울특별시 용산구 한강로 3가 40-456
**전화** (02)2071-2018 | **팩스** (02)749-2105 | **등록** 제3-563호 | **등록일자** 1992년 5월 11일
www.dwci.co.kr

ISBN 979-11-7203-550-1 (07810)
ISBN 979-11-7203-549-5 (세트)